FRENCH BA
School of Language Studies
and Applied Linguistics
Canterbury Christ Church University
Canterbury, Kent

La Grande Guerre
expliquée à mon petit-fils

Antoine Prost

La Grande Guerre expliquée à mon petit-fils

Éditions du Seuil

ISBN 978-2-02-081242-9

www.seuil.com

Pour André, huit ans.

Chapitre 1

LA MOBILISATION GÉNÉRALE

– *Grand-père, tu parles beaucoup de la guerre de 1914. Est-ce que tu l'as faite ?*

– Tu n'y penses pas ! Je suis né vingt ans après la guerre. Ce sont mes grands-pères qui ont fait la guerre, tous les deux. Quand ils étaient à la guerre, mon père et ma mère avaient ton âge. Je parle de cette guerre parce que je l'ai étudiée, parce qu'elle m'intéresse, mais je ne l'ai pas vécue.

– *Mais tu m'as dit que ton père avait été prisonnier pendant la guerre…*

– C'est vrai. Mais il ne faut pas tout mélanger. Il y a eu trois guerres entre la France et l'Allemagne : la première en 1870-1871 ; la deuxième de 1914 à 1918 ; la troisième de 1939 à 1945. Les Français ont perdu la première ; ils ont gagné la deuxième ; ils ont d'abord perdu la troisième en 1939-1940, mais les Américains, les Britanniques et les Russes l'ont finalement gagnée en 1945. La guerre de 1914-1918 est la Première Guerre mondiale. On l'appelle aussi la Grande Guerre. Mon père a fait la Seconde Guerre mondiale, celle de 1939-1945. Mes deux grands-pères ont fait la première.

– *Comment sont-ils partis à la guerre, tes grands-pères ?*

– Ils sont partis comme tous les autres hommes de leur âge : le 2 août 1914. C'était la mobilisation générale. Mobiliser, c'est cela : prendre les hommes chez eux pour en faire des soldats. En ce temps-là, tous les hommes en bonne santé faisaient leur service militaire quand ils avaient vingt ans. Ils allaient dans des casernes et ils apprenaient pendant deux ou trois ans le métier de soldat. Ils constituaient une armée de 500 000 hommes, prêts à se battre. Mais ce n'était pas suffisant pour faire la guerre ; il fallait beaucoup plus de soldats. Mobiliser, c'est rappeler à la caserne tous les hommes qui ont fait leur service militaire. En mobilisant tous ceux qui avaient jusqu'à quarante-huit ans, on a rassemblé une armée de plusieurs millions de soldats. On avait mis en réserve les fusils, les uniformes et tout ce qu'il fallait pour les équiper.

Le 2 août 1914, le gouvernement décida la mobilisation générale. Il demanda aux préfets et aux maires de mettre des affiches pour le faire savoir à tout le monde, car il n'y avait à ce moment-là ni radio ni télévision. Dans les villages, les affiches risquaient de ne pas être vues. Or, à l'époque, beaucoup de Français vivaient dans des villages. Il y avait plus de paysans que d'ouvriers ou d'employés. Comment prévenir tous ces hommes, qui travaillaient dans leurs champs ? On fit sonner le tocsin, la grosse cloche de l'église, celle qui sonne pour les enterrements, ou pour les incendies. D'ailleurs, quand ils ont entendu le tocsin, beaucoup de paysans sont rentrés chez eux prendre des seaux à eau, puis ils sont allés retrouver les autres à la mairie, car ils pensaient qu'il fallait éteindre un feu. À cette époque, il n'y avait pas de pompiers à la campagne ; on jetait des seaux d'eau sur le feu pour l'éteindre. À la mairie, on leur a dit que c'était la guerre. Ils sont rentrés chez eux, ils ont regardé leur livret militaire pour savoir où ils devaient aller. Ils ont fait leur sac, embrassé très fort leurs enfants, leurs femmes, leurs mères, qui essayaient de ne pas pleurer, et ils sont partis pour la caserne. Ils se faisaient du souci : qui allait finir les récoltes ? Comment les femmes, les enfants, les vieux parents qui restaient à la maison se débrouilleraient-ils sans hommes ?

– *Et tes grands-mères, comment ont-elles fait ?*

– L'un de mes grands-pères était commerçant. Ma grand-mère est allée tenir le magasin.

– *Elle devait être triste…*

– Elle était surtout inquiète. On a raconté que les Français, battus par les Allemands qui leur avaient pris l'Alsace-Lorraine en 1871, avaient envie de prendre leur revanche et de faire la guerre pour réunir de nouveau l'Alsace-Lorraine à la France. C'est vrai qu'ils n'avaient pas accepté la perte de l'Alsace-Lorraine. Beaucoup d'Alsaciens avaient refusé de vivre sous la domination allemande et avaient quitté leur pays pour s'installer en France. Le livre de lecture le plus utilisé dans les écoles entre la guerre de 1870 et celle de 1914, *Le Tour de la France par deux enfants*, est l'histoire de deux petits Alsaciens qui vont en

France. Mais quarante années avaient passé depuis 1871, et les gens ne pensaient plus sérieusement à faire la guerre pour reprendre l'Alsace-Lorraine. La mobilisation ouvrait une période d'incertitude. Et de danger. Les familles craignaient que le fils, le frère, le mari, le père qui partait soit tué ou blessé. Mais la France était attaquée : il fallait la défendre. Et puisqu'il fallait y aller, autant faire la guerre pour de bon, et la gagner. Les Français n'étaient pas enthousiastes, mais ils étaient résolus.

Et puis, il fallait bien que la vie continue. Tous ceux qui restaient ont fait comme ma grand-mère. À la campagne, les femmes, les fils, les parents ont fini les récoltes. À la ville, les employés de commerce ou de bureau, beaucoup d'ouvriers étaient partis aussi. Du coup, ils ne gagnaient plus d'argent, puisqu'ils ne travaillaient plus. Le gouvernement a donné à leurs femmes une indemnité pour qu'elles puissent vivre et nourrir leurs enfants. Il a décidé qu'ils ne paieraient plus le loyer de leur logement tant que la guerre durerait. Les médecins qui avaient l'âge sont partis aussi, comme les professeurs et les instituteurs. On a pris des institutrices et des professeurs femmes, des retraités aussi, pour faire la classe à leurs élèves, et, quand on ne trouvait pas de remplaçant, on a mis leurs élèves dans des classes dont le maître n'avait pas été mobilisé.

– *Et les mobilisés ?*

– Quand ils sont arrivés dans leur caserne, on les a habillés en soldats, on leur a donné des fusils, et ils sont partis pour la guerre dans des trains spéciaux. Ils chantaient très fort et ils buvaient du vin rouge pour se donner du courage. Ils étaient convaincus qu'ils gagneraient la guerre rapidement, et qu'ils seraient bientôt de retour chez eux. Mais très peu de soldats savaient pourquoi la guerre avait éclaté. Ils étaient peu informés, et c'était une affaire compliquée, qui s'était passée loin de chez eux.

Chapitre 2

POURQUOI LA GUERRE ?

– *Grand-père, pourquoi y a-t-il eu la guerre ?*

– En 1914, l'Europe dominait le monde. Mais les principaux pays européens ne s'entendaient pas. Chacun cherchait à être plus puissant que les autres. Cinq grands pays vont s'opposer par les armes.

D'un côté, l'Allemagne et l'Autriche. En Allemagne régnait un empereur, Guillaume. Les militaires étaient très puissants. L'industrie s'était beaucoup développée. En Autriche régnait aussi un empereur, François-Joseph, qui était en même temps roi de Hongrie. Il avait beaucoup de mal à faire vivre ensemble des peuples très différents. L'Allemagne et l'Autriche étaient alliées, ce qui veut dire que si l'une faisait la guerre, l'autre devait la faire avec elle.

De l'autre côté, la France et la Russie

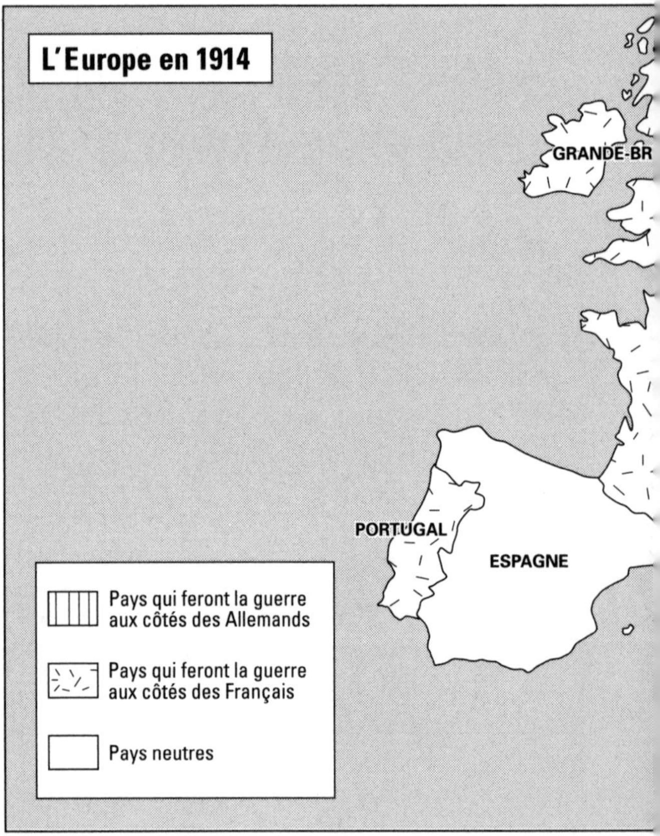
L'Europe en 1914
GRANDE-BR
PORTUGAL
ESPAGNE
Pays qui feront la guerre aux côtés des Allemands
Pays qui feront la guerre aux côtés des Français
Pays neutres

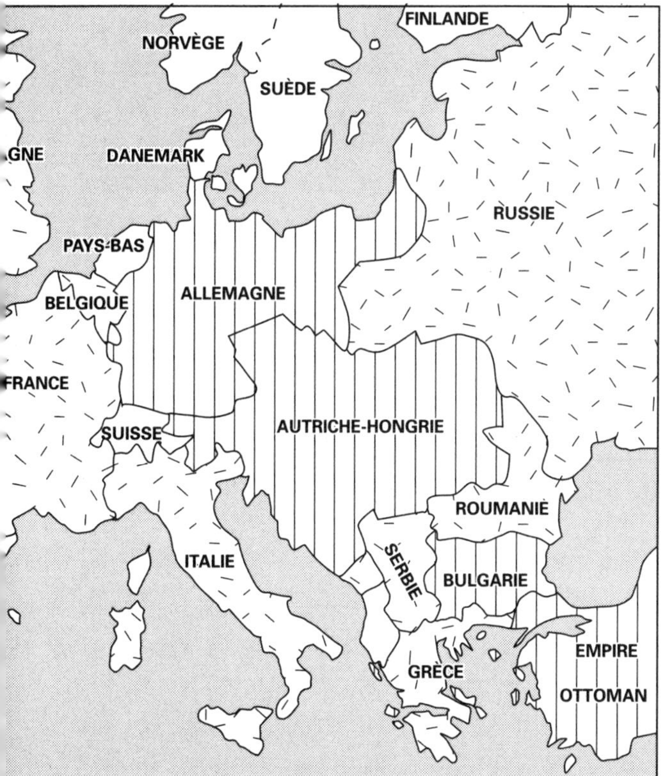
FINLANDE
NORVÈGE
SUÈDE
GNE
DANEMARK
RUSSIE
PAYS-BAS
ALLEMAGNE
BELGIQUE
FRANCE
SUISSE
AUTRICHE-HONGRIE
ROUMANIE
SERBIE
ITALIE
BULGARIE
EMPIRE
OTTOMAN
GRÈCE

étaient aussi alliées. La Russie était un grand pays, mais ce n'était pas un pays moderne. Il était gouverné par un empereur, qu'on appelait le tsar. La France était une république, et son gouvernement était nommé par les députés élus par le peuple. À l'époque, il y avait très peu de républiques en dehors de la France et des États-Unis. Les Français étaient très fiers d'être en république.

La Grande-Bretagne avait un roi, mais le gouvernement dépendait, comme en France, des représentants élus du peuple. La Grande-Bretagne était amie de la France, mais elle ne s'était pas engagée à combattre avec elle en cas de guerre.

– *Mais je croyais que les États-Unis aussi avaient fait la guerre ?*

– Tu as raison. Mais c'est plus tard. En 1914, au début de la guerre, les États-Unis n'étaient liés par aucun accord avec l'un ou l'autre des pays qui entraient en guerre. Ils faisaient du commerce avec tous, et ils ne voulaient s'engager ni d'un côté ni de l'autre : ils étaient neutres. En fait, ils ont permis aux Anglais et aux Français d'acheter chez eux ce dont ils avaient besoin, et de payer plus tard.

– *Tout ça ne dit pas pourquoi la guerre a éclaté...*

– Depuis longtemps, les pays d'Europe se disputaient. L'Allemagne était devenue très puissante ; son industrie s'était beaucoup développée ; elle estimait qu'elle méritait une plus grande place en Europe. Ou au moins en Afrique, que la France et la Grande-Bretagne étaient en train de coloniser.

La France avait été humiliée par sa défaite de 1870 et la perte de l'Alsace-Lorraine. Elle avait peur de l'Allemagne, qui était plus forte qu'elle, mais elle ne voulait pas céder sur les colonies. Il y avait eu deux affrontements entre la France et l'Allemagne à propos du Maroc. Comme la France avait laissé la Grande-Bretagne agir en Égypte, la Grande-Bretagne l'avait aidée à tenir l'Allemagne en dehors du Maroc.

Pour la Grande-Bretagne, le plus important était de maintenir sa domination sur les mers. Elle avait la plus forte marine de guerre, et sa flotte commerciale sillonnait les mers du monde entier. C'était l'époque des bateaux à vapeur, avec des chaudières à charbon et des cheminées qui crachaient des fumées noires. La Grande-Bretagne produisait beaucoup de charbon, et elle avait organisé partout dans le monde des ports où ses bateaux pouvaient faire provision de charbon. En Europe, elle ne voulait surtout pas que son commerce puisse être menacé par un État puissant sur la côte de la Manche et de la mer du Nord. Elle tenait donc énormément à ce que la Belgique soit un petit État et qu'elle reste indépendante.

Pour l'Autriche et la Russie, l'important était ce qui se passait dans les Balkans, du Danube à la mer Méditerranée. À cette époque, ce qui est devenu aujourd'hui la Turquie était un vaste empire faible, l'Empire ottoman, dont la capitale était Constantinople. L'Empire russe et l'Empire ottoman s'opposaient sur deux points. D'une part, entre la mer Noire et la Méditerranée, il y a un passage qu'on appelle les détroits. Les Ottomans contrôlaient les deux rives des détroits, et ils empêchaient les bateaux russes d'accéder librement à la Méditerranée. D'autre part, les peuples de cette région, souvent de religion orthodoxe comme les Russes, revendiquaient leur indépendance, contre les Ottomans de religion musulmane ou contre les Autrichiens, catholiques. Des guerres avaient eu lieu, dans les années qui précèdent 1914, et toutes les puissances européennes y avaient plus ou moins participé. Les Russes soutenaient ces mouvements d'indépendance, au nom de la solidarité entre les peuples slaves.

– Ça a l'air compliqué. Je comprends que tous ces États avaient des intérêts très différents, mais ils ne se battaient pas. Pourquoi, en 1914, ont-ils tous fait la guerre ?

– L'Autriche voulait régler son compte à un petit pays, la Serbie, qui gênait son influence dans la région des Balkans. Un attentat lui en a donné l'occasion. Le prince qui devait gouverner l'Autriche quand l'empereur serait mort a été assassiné par des terroristes serbes pendant qu'il visitait Sarajevo, une ville proche de la Serbie. L'Autriche s'est fâchée. En total accord avec l'Allemagne, elle a dit aux Serbes : « Ou bien vous acceptez que je contrôle ce que vous faites, ou bien c'est la guerre. » La Russie ne pouvait pas laisser l'Autriche écraser la Serbie, car les autres pays qu'elle protégeait dans la région ne lui auraient plus fait confiance. Elle a donc mobilisé pour soutenir la Serbie. La Grande-Bretagne a proposé de discuter, mais l'Allemagne et l'Autriche ont refusé. L'Allemagne a déclaré la guerre à la Russie et à la France. Elle pensait que la Grande-Bretagne ne ferait pas la guerre.

Mais l'Allemagne et l'Autriche devaient faire la guerre d'un côté contre les Russes et de l'autre côté contre les Français. Pour les généraux allemands, c'était compliqué. Leur idée était d'écraser d'abord la France, pour se retourner ensuite contre la Russie, beaucoup plus peuplée et plus vaste. Afin de battre très vite les Français, ils avaient un plan : attaquer la France à partir de la Belgique. En effet, il n'y avait pas d'armées françaises sur la frontière belge, car la Belgique était neutre, et tous les États s'étaient engagés à respecter sa neutralité. La France pensait donc qu'elle était en sécurité de ce côté et elle ne s'était pas protégée. Les Allemands ont demandé aux Belges de laisser passer leurs armées. Les Belges ont refusé, pour rester neutres. Les Allemands ont alors violé la neutralité belge, ils ont conquis la Belgique et ils sont allés attaquer les Français là où ceux-ci ne les attendaient pas. Cela a provoqué l'entrée en guerre de la Grande-Bretagne car il était très important pour elle que les Allemands ne s'installent pas sur la côte belge, de l'autre côté de la Manche.

La responsabilité de la guerre qui éclate est partagée, car tous les États étaient engagés dans une course à la puissance. Mais la responsabilité principale revient à l'Allemagne et à l'Autriche qui ont voulu une petite guerre contre la Serbie, et pris le risque de faire éclater ainsi une grande guerre.

Chapitre 3

LA BATAILLE DE LA MARNE

– *Alors, c'est l'Allemagne qui a commencé la guerre ?*

– Si tu veux. En tout cas, pour bien montrer que la France se défendait et n'attaquait pas, le gouvernement français a ordonné à ses troupes de reculer à dix kilomètres des frontières. Les généraux allemands ont fait ce qu'ils avaient prévu : ils sont entrés en Belgique, pour foncer vers Lille et Paris. Ils étaient sûrs de gagner parce que l'armée française ne défendait pas la frontière entre la France et la Belgique. Mais, à la guerre, les choses ne se passent jamais exactement comme les généraux le prévoient.

D'abord, les Belges ont résisté aux Allemands, ce qui leur a fait perdre quelques jours. Les Français en ont profité pour s'organiser.

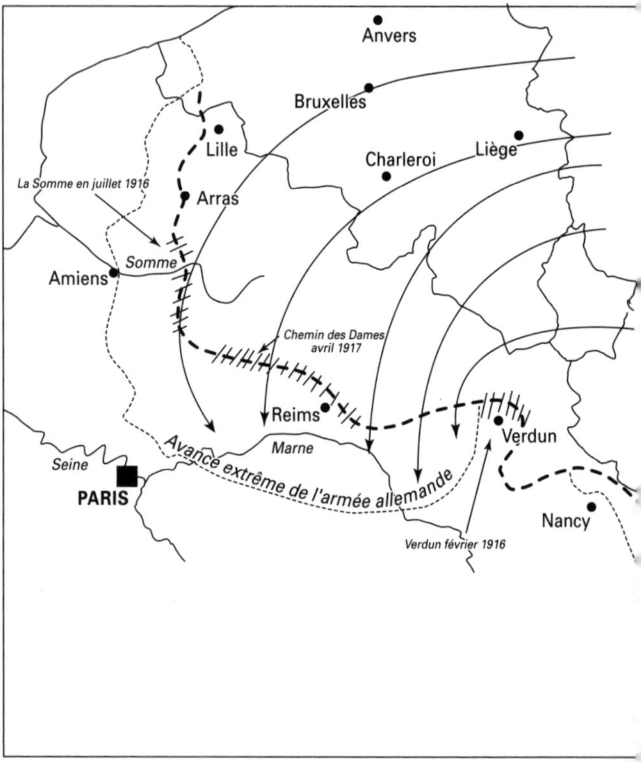
Anvers
Bruxelles
Lille
Charleroi
Liège
La Somme en juillet 1916
Arras
Somme
Amiens
Chemin des Dames
avril 1917
Reims
Verdun
Marne
Seine
PARIS
Avance extrême de l'armée allemande
Nancy
Verdun février 1916

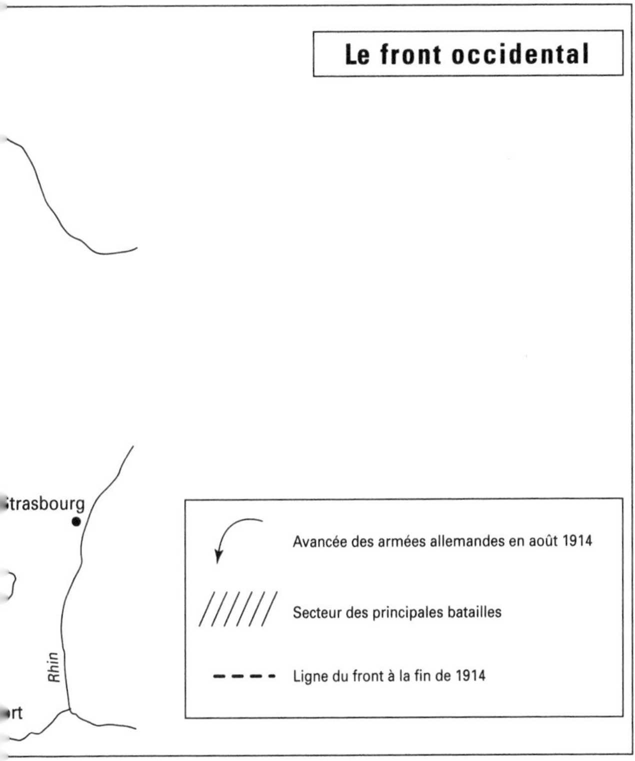
Le front occidental
Strasbourg
Rhin
Avancée des armées allemandes en août 1914
Secteur des principales batailles
Ligne du front à la fin de 1914

En ce temps-là, les soldats se déplaçaient à pied, pas en camions. Les canons étaient tirés par des chevaux. Au début, il n'y avait ni tanks ni automitrailleuses. Les Français avaient de bons chemins de fer. Cela leur a permis d'amener vers la frontière belge des régiments qui étaient dans l'Est, en Lorraine. Ce qui n'a pas empêché les Allemands d'entrer en France, mais a ralenti leur avance.

– *Est-ce qu'ils sont allés loin ?*

– À la fin du mois d'août, les armées allemandes – qui marchaient à pied elles aussi – étaient à 30 kilomètres de Paris. C'est dire que la situation était grave. Si grave que le gouvernement a quitté Paris pour Bordeaux. Mais les Allemands étaient un peu moins forts. D'abord, ils étaient loin de leurs bases. Ensuite, ils avaient été obligés de prendre des régiments dans l'armée qui attaquait la France pour renforcer leur front face aux Russes. En effet, les Russes étaient mieux préparés que les Allemands ne le croyaient et ils sont devenus une vraie menace pour eux beaucoup plus tôt que prévu. Enfin, les généraux allemands ont changé d'idée. Au lieu de continuer sur Paris, leur armée a tourné vers l'est, pour prendre par-derrière le gros de l'armée française qui était encore aux frontières, l'encercler et la détruire ou l'obliger à se rendre.

Mais l'armée française avait reculé en bon ordre, sans se désorganiser. Les soldats étaient fatigués, mais pas découragés ; au contraire, ils voulaient absolument arrêter les Allemands. Les généraux français ont alors eu une bonne idée : ils ont attaqué l'armée allemande sur le côté, de façon à isoler les régiments les plus avancés et à les couper de leur arrière. Pour ne pas perdre ces régiments, les Allemands ont été obligés de s'arrêter et de reculer. C'est ce qu'on appelle la bataille de la Marne.

– *Cela a été une grande bataille ?*

– Oui, car elle a arrêté l'invasion allemande. Mais c'est aussi une bataille qui a fait beaucoup de morts. Les généraux français imaginaient la guerre avec des assauts au son du clairon, drapeaux flottant au vent, et des charges de cavalerie, comme dans certains livres d'images. Ils pensaient que, pour gagner la guerre, il fallait attaquer à tout prix. Le vainqueur serait celui qui aurait le plus de courage et de volonté. Les soldats français ont donc attaqué en ligne, sur toute la largeur du front. Mais les Allemands tiraient sur eux avec de bonnes mitrailleuses et ils les voyaient venir de loin, car les Français avaient des pantalons rouges – c'était l'uniforme de l'époque. On va d'ailleurs le remplacer plus tard par une tenue moins voyante, de couleur bleu-gris ou « bleu horizon ». Les Français ont gagné la bataille parce qu'ils ont avancé quand même, parce qu'ils tiraient sur les soldats et les mitrailleuses allemandes avec de bons petits canons, et surtout parce que l'armée allemande s'était mise dans une mauvaise position.

– *Alors les Français ont gagné la guerre ?*

– Pas si vite ! La bataille de la Marne a évité à la France d'être vaincue. Mais les Allemands étaient toujours en France. Ils se sont organisés pour conserver le terrain qu'ils avaient conquis. Chacun de son côté, les Allemands et les Français ont tenté de contourner l'armée adverse là où elle n'était pas encore bien installée. C'est ce qu'on a appelé la course à la mer. Bientôt, les deux armées – avec un corps expéditionnaire britannique qui aidait les Français – se sont trouvées face à face sur une ligne continue, ce qu'on appelle le front, des Vosges à la mer du Nord. Et la guerre a continué. Mais cette guerre-là ne ressemblait pas du tout à ce que les généraux des deux camps avaient imaginé.

Chapitre 4

LA GUERRE DE TRANCHÉES

– *Grand-père, pourquoi dis-tu que les généraux n'avaient pas imaginé cette guerre ?*

– Parce que personne n'avait jamais imaginé qu'on s'enterrerait pour faire la guerre. La guerre, c'est quand on se bat. Du moins c'est ce qu'on pensait. Mais, après la bataille de la Marne, que se passe-t-il ? Les deux armées se retrouvent face à face, sur un front de 700 kilomètres. Quand les soldats allemands voient un soldat français, ils lui tirent dessus, et inversement. Il faut donc se cacher. Mais où ? Il n'y a pas toujours des murs ou des maisons. Les soldats ont d'abord creusé dans la terre des trous assez profonds pour pouvoir se tenir à genoux, puis debout. Pour pouvoir bouger sans se faire voir, ils ont relié ces trous en creusant une sorte de chemin dans le sol, de la profondeur d'un homme. C'est ce qu'on appelle une tranchée. Progressivement, ils ont consolidé et amélioré les tranchées et même creusé des abris sous terre, pour essayer de dormir, ou pour se protéger de la pluie. Bientôt, toute la zone des combats, qu'on appelle le front, a été parcourue de tranchées, des deux côtés.

Les tranchées transforment la bataille. Pour attaquer l'ennemi, il faut sortir de sa tranchée, courir jusqu'à celle de l'adversaire et sauter dans sa tranchée. Mais, des deux côtés, on se protège. Devant la tranchée, on déroule du fil de fer barbelé : pour attaquer, l'ennemi doit couper les barbelés, ce qui fait du bruit et prend du temps. Et les tranchées se compliquent. Elles ne vont pas tout droit ; elles font des zigzags, pour éviter qu'une mitrailleuse ennemie puisse tirer en même temps sur toute une file de soldats. On creuse aussi, en arrière, une deuxième ligne de tranchées, puis une troisième, pour abriter les renforts. Pour réunir ces tranchées, venir de l'arrière et monter jusqu'à la première ligne sans se faire voir de l'ennemi, on creuse d'autres tranchées, qu'on appelle des boyaux. Le front est en fait, des deux côtés, un réseau compliqué de tranchées successives, reliées par des boyaux.

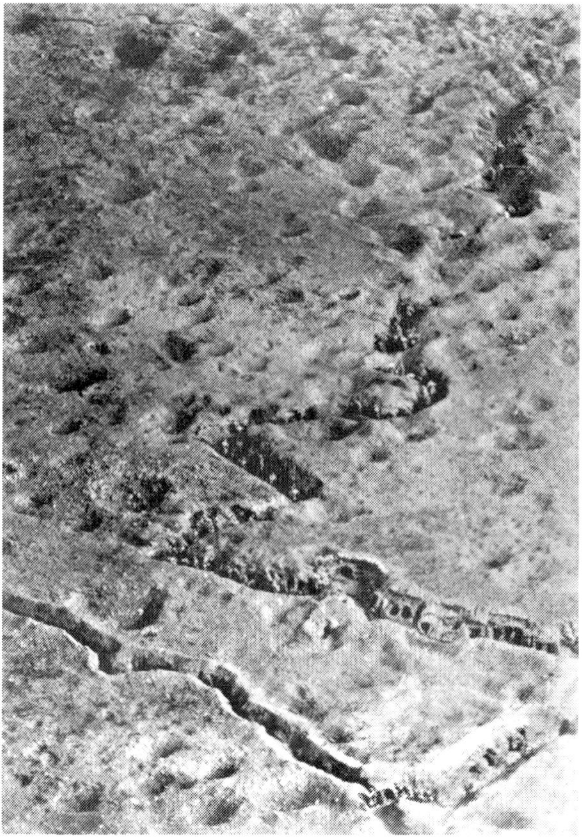

Photo 1 : Vue aérienne de soldats montant de la deuxième ligne vers la première (qu'on ne voit pas) par un boyau en zigzag (Somme, 1916).

La vie dans les tranchées est très dure. Les soldats restent plusieurs jours en ligne. Ils dorment par terre. Ils ne peuvent se laver ni se raser. Leur barbe pousse. Le terme de « poilu », par lequel on les désigne, était utilisé déjà avant la guerre pour parler d'un soldat courageux. Mais il leur convient parfaitement. Ils souffrent de la pluie, du froid, de la faim et de la soif, car on ne peut pas toujours les ravitailler. Les corvées de ravitaillement passent souvent par des points que l'ennemi a identifiés et quand il voit bouger quelque chose, il tire avec ses canons. Les poilus sont sales, ils ont beaucoup de poux. De gros rats courent dans les tranchées. Quand il pleut, on patauge dans l'eau et l'on s'enfonce dans la boue.

– *Comment font-ils pour se battre ?*

– Ce n'est pas facile, et c'est très dangereux. Pour avancer, il faut prendre les tranchées de l'ennemi. Elles sont bien défendues. Entre la première ligne de chaque côté, il y a rarement plus de 100 ou 200 mètres, mais cet espace est difficile à franchir. Dès que les soldats sortent de leur tranchée pour attaquer, les mitrailleuses ennemies leur tirent dessus. Aussi, avant d'attaquer une tranchée, on cherche à la démolir à coups de canon, à détruire les barbelés, les mitrailleuses, et à tuer les soldats qui la défendent.

Pour ceux-ci, c'est terrible. Le bombardement peut durer plusieurs jours et plusieurs nuits. Les obus explosent avec un bruit formidable ; ils secouent la terre ; ils bouleversent les tranchées. Les soldats voient leurs camarades tués, parfois mis en morceaux par les obus, parfois enterrés vivants. D'autres, affreusement blessés, gémissent de douleur, et on ne peut rien faire pour eux. Chacun pense qu'il va bientôt être touché à son tour, sans pouvoir se protéger. Et les survivants, d'heure en heure moins nombreux, abrutis, savent que, quand les obus cesseront de tomber, l'ennemi attaquera, et qu'il faudra le repousser. Mais ces bombardements, qu'on appelle des préparations d'artillerie, puisqu'ils préparent l'attaque, ne détruisent jamais totalement la tranchée ennemie. Attaquer, même après une bonne préparation d'artillerie, reste donc très dangereux : pendant qu'on court vers la tranchée ennemie, avec son fusil à la main, dans la boue, au travers des trous creusés par les obus, on risque d'être frappé par une balle de fusil ou de mitrailleuse, surtout si l'on rencontre sur son chemin des barbelés qui

Photo 2 : À l'intérieur d'une tranchée. Observer les casques et les musettes.

n'ont pas été détruits par le bombardement, et qu'on doit s'arrêter pour les couper.

– *Alors, qu'est-ce qui est le plus dangereux, le bombardement ou l'attaque ?*

– C'est difficile à dire. Les bombardements d'artillerie ont tué beaucoup plus de soldats que les attaques. Plus la guerre dure, plus les bombardements sont puissants. On a utilisé de plus gros canons, et on a tiré de plus en plus d'obus. Dans les secteurs du front où l'on s'est le plus battu, il est tombé plus d'un obus par mètre carré. En 1917-1918, la France et la Grande-Bretagne ont fabriqué ensemble 480 000 obus par jour en moyenne. À la fin de la guerre – elle a duré quatre ans –, la zone du front, qui traversait la France de la Belgique aux Vosges, était complètement dévastée. Sur toute la longueur du front, on avait creusé, consolidé, élargi deux ou trois lignes de tranchées des deux côtés, avec des boyaux, des abris, et les obus avaient comme labouré le sol. La terre était pleine de cadavres, de débris de toute sorte, d'éclats d'obus, et même d'obus non explosés, car un obus qui tombait sur un sol boueux, trop mou, n'explosait pas toujours. Pour cultiver de nouveau la zone du front, il a fallu un gros travail de nettoyage. Si gros qu'on a renoncé à le faire dans les secteurs où l'on s'était le plus battu.

Chapitre 5

LA GUERRE DES ÉCONOMIES

– *En somme, pendant la guerre de 1914, on s'est tué à coups de canon ?*

– Oui. Jamais encore l'artillerie n'avait eu un rôle aussi massif. C'est ce qui a fait de cette guerre une guerre industrielle. Comme elle a duré, il a fallu donner aux soldats des casques, des souliers, des habits, des couvertures. Il a fallu surtout fabriquer beaucoup de fusils, de mitrailleuses, de canons, des centaines de millions de balles et d'obus, des explosifs pour remplir les obus. Cela a obligé tous les gouvernements à réorganiser complètement l'économie de leur pays.

– *L'économie ? Qu'est-ce que tu veux dire ?*

– L'économie, c'est toutes les activités par lesquelles on produit les choses, on les fabrique, on les transporte, on les achète et on les vend. Avant la guerre, l'économie des pays qui allaient entrer en guerre produisait des choses que les gens achetaient – des meubles, des habits, des maisons –, ou des choses utiles à tout le monde, comme des routes, des chemins de fer, des écoles, des hôpitaux. Avec la guerre, il a fallu changer de productions, fabriquer des armes, et non plus des machines à coudre, des obus plutôt que des casseroles, et ainsi de suite. Il a même fallu construire des usines neuves pour certaines fabrications que les usines existantes ne pouvaient pas produire en assez grande quantité.

Mais presque tous les hommes de vingt à quarante-huit ans avaient été mobilisés, et les usines ne peuvent pas marcher sans ouvriers. Dans tous les pays, pour remplacer dans les usines ceux qui étaient partis au front, on a employé beaucoup de femmes. Certaines étaient déjà ouvrières dans des fabriques de tissus ou de vêtements ; elles ont changé d'usine et sont allées travailler dans les usines d'armement. Elles l'ont fait d'autant mieux que les usines qu'elles abandonnaient, n'étant pas utiles à la guerre, tournaient au ralenti. D'autres femmes, qui ne travaillaient pas avant la guerre, ont été obligées de travailler parce que leur mari n'était plus là.

– *Alors ce sont les femmes qui ont fait marcher les usines ?*

– En partie, seulement en partie. On leur a donné les travaux répétitifs, qui ne demandaient pas une grande force physique et qu'elles pouvaient apprendre à faire en quelques jours. Mais on avait aussi besoin d'ouvriers très qualifiés, très habiles, pour certains travaux : régler les machines, fabriquer les outils dont se servent les autres ouvriers. Former des remplaçantes aurait demandé beaucoup de temps. On a donc retiré du front les ouvriers dont on avait le plus besoin pour les envoyer travailler dans les usines. On a aussi envoyé des soldats travailler dans les chemins de fer, car on avait grand besoin des trains pour transporter les troupes, apporter au front les munitions et le ravitaillement, évacuer les blessés. La SNCF n'existait pas encore, et plusieurs compagnies différentes de chemins de fer s'étaient partagé le territoire, la compagnie du Nord, celle de l'Est, le Paris-Lyon-Marseille, etc. Le gouvernement a placé sous une autorité unique les transports par chemin de fer.

Nourrir les soldats était un autre problème. Pendant que les paysans étaient au front, leurs femmes, leurs enfants et leurs vieux parents ont fait marcher les fermes et ils se sont occupés de tout. Mais le gouvernement a décidé quelle part de la viande, du pain, du vin, des pommes de terre irait aux soldats et quelle part aux civils. De même, le charbon a posé de gros problèmes, parce qu'une partie importante des mines du Nord-Pas-de-Calais se trouvait dans la zone occupée par les Allemands. Le gouvernement a réparti le charbon entre les usines, les chemins de fer et les civils qui en avaient besoin pour se chauffer.

– *Ce que tu dis, c'est vrai pour la France ou pour tous les pays en guerre ?*

– C'est vrai pour tous les pays, mais cela ne s'est pas fait partout aussi bien. En Allemagne, les militaires ont voulu tout contrôler et ils n'ont pas su très bien faire. En 1918, malgré le rationnement, le gouvernement n'arrive plus à nourrir les habitants des villes, et des bandes parcourent les campagnes pour forcer les paysans à leur donner à manger. Mais c'est aussi que l'Allemagne achetait à l'étranger une partie de son alimentation, et que ses ennemis

Photo 3 : Femmes au travail dans un atelier d'obus (Citroën).

l'ont privée de ces achats extérieurs en bloquant ses ports, en empêchant les navires neutres d'y entrer. C'est ce qu'on appelle le blocus. Le blocus est une forme de guerre économique.

Les Allemands ont répondu au blocus par la guerre sous-marine : ils ont construit beaucoup de sous-marins, et ils les ont envoyés dans la mer du Nord, la Manche, l'Atlantique, pour couler les bateaux qui approvisionnaient la Grande-Bretagne et la France. Ces deux pays achetaient eux aussi une partie de leur alimentation – du blé, de la viande – dans des pays lointains. Ils achetaient également du caoutchouc, du charbon, du pétrole. Tous ces produits arrivaient par la mer. Comme la guerre sous-marine rendait ce commerce plus difficile, la Grande-Bretagne et la France se sont entendues pour décider ensemble quels produits étaient les plus nécessaires, et comment elles se les répartiraient.

Bientôt, toute l'économie a tourné pour la guerre, et le rôle du gouvernement dans le fonctionnement de l'économie est devenu essentiel. Ses commandes de matériel orientaient toute la production. Il affectait aux usines les ouvriers qu'il jugeait indispensables, et il répartissait entre elles les matières premières dont elles avaient besoin. Il contrôlait les chemins de fer et le ravitaillement. L'économie était tout entière mobilisée.

Chapitre 6

L'USURE DES SOLDATS

– Grand-père, ton histoire est bien triste. De plus en plus de canons et d'obus pour tuer de plus en plus de soldats... c'est comme une énorme machine. Il n'y a pas de raison qu'elle s'arrête...

– C'est bien là le drame. La guerre ne s'arrêtait pas. Elle durait. Dans chaque camp, les généraux n'avaient qu'une idée : percer la ligne ennemie, pour lancer leur armée sur ses arrières, encercler ainsi une partie de l'armée ennemie, la capturer ou la détruire. Ils lançaient donc des attaques contre les tranchées ennemies. Les attaquants réussissaient à prendre la première ligne, mais ils étaient arrêtés sur la deuxième ou la troisième, que les obus avaient moins détruites. Les généraux en tiraient la conclusion qu'ils n'avaient pas frappé assez fort, et ils recommençaient sur une autre partie du front, avec plus de canons, plus d'obus, plus de soldats. Mais, chaque fois, en voyant tomber les obus, l'ennemi comprenait qu'une attaque se préparait. Il prenait ses précautions, amenait des renforts, bombardait lui aussi les tranchées dont l'attaque allait partir, si bien qu'elle échouait de nouveau.

Il y a eu ainsi de grandes batailles, qui ont coûté la vie à beaucoup de soldats sans vraiment changer la ligne du front. Celle de Verdun est la plus connue en France. En février 1916, les Allemands ont attaqué Verdun, qui était très difficile à défendre, parce qu'il n'y avait qu'une petite ligne de chemin de fer pour amener les munitions, le ravitaillement et tout ce qu'il fallait. Les Français ont donc utilisé aussi des camions, qui circulaient sans arrêt sur l'unique route reliant Verdun à l'arrière. Le général Pétain, qui commandait à Verdun, a gagné parce que les poilus ont tenu bon dans des conditions épouvantables, et parce que les Britanniques et les Français ont lancé eux aussi une grande attaque sur la Somme en juillet. Elle n'a pas réussi non plus, mais elle a obligé les Allemands à faire passer des régiments du front de Verdun à celui de la Somme. Ils ont dit qu'à Verdun, ils voulaient

« saigner » l'armée française. Saigner, c'est vider de son sang un animal, un cochon par exemple, pour le tuer. En fait, les Allemands ont perdu à Verdun autant d'hommes que les Français : 250 000 de chaque côté en six mois. 250 000 hommes, c'est la population d'une agglomération comme celle d'Orléans ou de Tours aujourd'hui !

– Je ne comprends pas. Il me semble que les généraux auraient dû trouver autre chose, au lieu de toujours recommencer leurs attaques.

– Tu as raison. J'exagère un peu. Il y a eu des changements dans la façon de faire la guerre, je te les expliquerai, mais ils ont mis longtemps à produire leurs effets. En 1915-1916, le seul vrai changement est dans la conception d'ensemble de la guerre, pas dans la façon de la faire. Certains hommes politiques réalisent que la situation est bloquée sur le front français et ils pensent que, pour la débloquer, il faut créer d'autres fronts, attaquer l'Allemagne et l'Autriche dans d'autres régions. En 1915, ils réussissent à faire entrer en guerre l'Italie, ce qui crée un front avec l'Autriche dans les Alpes. Les Britanniques pensent même qu'il faut attaquer la Turquie, alliée de l'Allemagne, et les Australiens qui font la guerre à leurs côtés débarquent une expédition à l'entrée des détroits qui relient la Méditerranée et la mer Noire. Mais les militaires, notamment les généraux français, pensent que c'est sur le front français que se joue le sort de la guerre. Si les Allemands n'ont pu percer à Verdun, ni les Franco-Britanniques sur la Somme, c'est qu'ils n'ont pas frappé assez fort : il suffit de frapper plus fort encore, et l'on percera les lignes allemandes.

– *Et ils l'ont fait ?*

– Non. En avril 1917, les Français ont lancé une grande attaque entre Laon et Reims dans un endroit qu'on appelle le Chemin des Dames. Ce fut un désastre, car le terrain de l'offensive avait été mal choisi, et les défenses allemandes n'avaient pas été vraiment détruites. Pourtant, les Français avaient tiré des millions d'obus. Il avait fallu 26 150 wagons en 872 trains pour amener ces obus sur le front de l'attaque. Les pertes françaises furent énormes.

Toutes ces attaques usaient le moral des soldats. Ils acceptaient de se faire tuer, mais pas pour rien. En plus de ces grandes batailles, il y en avait de petites : ici ou là, un commandant de régiment lançait une centaine d'hommes à l'assaut d'un bout de tranchée ennemie, pour renforcer sa position. Cela faisait tuer des hommes pour un petit résultat. Après l'échec du Chemin des Dames, plusieurs régiments se sont révoltés et ont refusé de remonter en ligne. C'est ce qu'on appelle une mutinerie. Si les Allemands avaient attaqué à ce moment-là, la situation aurait été très grave.

– *Et alors ? Les Allemands n'ont pas attaqué ?*

– Ils n'ont pas su qu'il y avait des mutineries dans l'armée française. Ou plutôt, quand ils l'ont su, elles étaient terminées. Le commandant en chef qui avait lancé l'attaque du Chemin des Dames avait été remplacé par Pétain. Celui-ci a rétabli l'ordre, moins par la punition des mutins – une cinquantaine ont été fusillés, tout de même – qu'en s'occupant de la vie des soldats, du ravitaillement, des permissions pour aller chez eux voir leur famille. Il a surtout arrêté les attaques inutiles. Le moral des soldats s'est amélioré, car ils ont vu qu'ils étaient traités correctement, et pas comme des bêtes qu'on envoie à l'abattoir.

Mais, comme la France était moins peuplée que l'Allemagne (quarante millions d'habitants

Photo 4 : Soldats britanniques dans la boue des Flandres (septembre 1917). Regarder les casques,

la mitrailleuse en haut à droite et les trous d'obus pleins d'eau.

contre soixante), il lui était plus difficile de remplacer les soldats tués ou blessés. L'armée française était à bout de souffle.

– *Et les autres armées ?*

– Partout les soldats en avaient assez de faire la guerre, mais ils continuaient. En France aussi, ils ont continué. L'armée allemande a tenu bon jusqu'à l'été de 1918. L'armée britannique aussi, mais l'enthousiasme du début a disparu. Quand la guerre a éclaté, à la différence de la France et de l'Allemagne, la Grande-Bretagne n'avait pas de service militaire obligatoire. L'île était protégée par la marine. L'armée de terre était constituée de quelques régiments de soldats de métier, un corps expéditionnaire beaucoup trop petit pour cette guerre. Elle a donc fait appel aux volontaires. Plus de deux millions de Britanniques se sont engagés pour combattre sur le continent, en 1914 et 1915. Mais, en 1916, cela ne suffit plus, et le gouvernement britannique rend alors le service militaire obligatoire. Là aussi, l'usure commence à se faire sentir. Les peuples sont fatigués de la guerre. Surtout, personne ne voit quand et comment elle pourrait se terminer.

Chapitre 7

LE BLOCUS, LA GUERRE SOUS-MARINE ET L'ENTRÉE EN GUERRE DES ÉTATS-UNIS

– *Pourtant, la guerre va bien finir ?*

– Oui, mais en 1917, on ne voit pas arriver cette fin. Ceux qu'on appelle les Alliés – la France, la Grande-Bretagne, la Russie et l'Italie, qui les avait rejoints en 1915 – ne gagnaient pas la guerre, mais les Allemands et les Autrichiens ne la gagnaient pas non plus. À l'Ouest, le front ne bougeait guère. À l'Est, les Russes avaient été battus, mais ils avaient refait leurs forces et gagné des batailles en 1916. On ne voyait pas ce qui aurait pu rompre l'équilibre des forces. Une paix de compromis était possible, mais aucun des deux camps n'en voulait. Accepter par exemple de revenir à la situation de 1914 aurait signifié que la guerre n'avait servi à rien, que tous les soldats qui avaient été tués étaient morts pour rien. Les sacrifices déjà acceptés étaient trop lourds. Pour que la guerre ait un sens, il fallait qu'elle se termine par une victoire, et chacun des deux camps voulait une victoire totale.

Pourtant, en durant, la guerre avait des effets sur tous les pays, et pas seulement sur ceux qui se combattaient directement. Les pays neutres, ceux qui regardaient sans se battre, étaient eux aussi concernés. Je t'ai déjà parlé du blocus de l'Allemagne par les Alliés et je t'ai dit ses conséquences pour l'alimentation de la population allemande. Je t'ai dit aussi que les Allemands avaient répliqué en faisant une guerre sous-marine, et en coulant les bateaux alliés. Et les bateaux neutres ? Les Alliés leur avaient interdit d'amener des marchandises dans les ports allemands. Mais la France et la Grande-Bretagne ne se contentaient pas de leurs propres navires, et elles continuaient à recevoir des marchandises transportées par des bateaux neutres. Les sous-marins allemands – ils étaient nombreux – torpillaient les bateaux de commerce alliés, mais cela ne gênait pas beaucoup la Grande-

Bretagne et la France puisque les bateaux neutres n'étaient pas attaqués.

– *Tu veux dire que les bateaux américains, par exemple, continuaient à apporter du blé aux Anglais sans risquer de se faire couler ?*

– Exactement. Les Allemands trouvaient que ce n'était pas juste, puisque le blocus empêchait ces mêmes bateaux neutres d'arriver dans leurs ports : la lutte était inégale. Les généraux allemands étaient persuadés que s'ils coulaient aussi les bateaux neutres, en six mois les Alliés seraient obligés de demander la paix. Ils ont donc décidé, au début de 1917, de faire une guerre sous-marine totale.

C'était une décision grave, car elle allait dresser contre eux les neutres, et surtout les États-Unis. Les États-Unis avaient de l'amitié pour les Alliés, et ils les aidaient en leur fournissant du matériel et en acceptant qu'ils payent plus tard. Mais ils ne faisaient pas la guerre. Les Allemands savaient que, s'ils coulaient des navires américains, les États-Unis leur déclareraient la guerre, mais cela leur était égal. Les États-Unis n'avaient pas d'armée, et ils étaient loin. Les Allemands pensaient qu'ils gagneraient la guerre avant que les Américains puissent faire quelque chose. Ils ont donc coulé des bateaux américains, et les États-Unis leur ont déclaré la guerre en avril 1917.

– *L'entrée en guerre des États-Unis a dû beaucoup renforcer les Alliés…*

– Dans l'immédiat, cela n'a rien changé. Il a fallu presque une année pour que les Américains organisent une armée, avec ses officiers, ses régiments, ses ambulances, ses services de ravitaillement et tout le matériel nécessaire pour faire la guerre, canons, fusils, munitions, etc. En attendant, la France était trop faible pour laisser tuer encore beaucoup de soldats. Pétain, commandant en chef après l'échec du Chemin des Dames et les mutineries, déclare qu'il faut attendre les Américains. C'est pourquoi il ne lance pas de grande bataille.

Sur mer, les Allemands coulent beaucoup de bateaux au début de 1917. Mais les Alliés trouvent une parade : ils regroupent les bateaux qui les approvisionnent et ils font des convois, qu'ils escortent et qu'ils protègent des sous-marins. Au milieu de l'année, la guerre sous-marine totale a échoué. Le pari des généraux allemands est perdu, et les Américains commencent à former leur armée.

Chapitre 8

QUE SE PASSE-T-IL À L'INTÉRIEUR DES PAYS EN GUERRE ?

– En 1917, la guerre est devenue une guerre totale : tout est organisé pour la guerre. Elle n'oppose plus seulement des armées : les armées ont besoin, pour tenir, qu'à l'arrière du front, dans les différents pays, tous ceux qui restent – les femmes, les enfants, les vieux parents – conservent l'espoir de gagner la guerre et fassent tout ce qu'il faut pour cela.

– *Et c'était difficile ?*

– Au début, pas trop. Pendant que les soldats se battaient, la vie a continué à l'intérieur des pays en guerre. Il y avait toujours du monde dans les rues, surtout des femmes. Les cafés, les cinémas, les théâtres continuaient à fonctionner. Tout le monde essayait de faire comme d'habitude. Les journaux disaient qu'on allait gagner la guerre, que les soldats de leur pays étaient plus braves que ceux d'en face. Ils célébraient comme de grandes victoires de petites avancées. Ils appelaient la population à soutenir les soldats, à soigner les blessés. Surtout, ils faisaient attention à ne rien dire qui puisse renseigner l'ennemi, décourager les soldats ou inquiéter les familles. Ils ne parlaient pas des échecs. Les gouvernements les surveillaient d'ailleurs pour cela : c'est ce qu'on appelle la censure.

Au début, ceux qui n'étaient pas soldats, les civils, ne savaient pas vraiment combien la guerre de tranchées était dure. Les journaux ne le disaient pas, et les soldats non plus quand ils écrivaient chez eux. Ils ne voulaient pas inquiéter leur famille en leur expliquant qu'ils risquaient vraiment d'être tués et qu'ils vivaient dans des conditions épouvantables. Mais les gens ont compris peu à peu. Ils ont vu les blessés. Dans toutes les familles, il y a eu des blessés ou des morts. Tous les écoliers avaient deux, trois camarades au moins, dont le papa avait été tué. Tous savaient que leur papa risquait de mourir.

– *Ils se faisaient du souci.*

– J'ai causé avec un vieux monsieur qui était écolier pendant la guerre, dans un village. Son instituteur était aussi le secrétaire de la mairie, et c'était lui qui allait annoncer aux familles la mort des soldats. Quand un soldat du village avait été tué, un gendarme venait dans la classe apporter un télégramme à l'instituteur ; celui-ci enlevait sa blouse grise, mettait son habit noir du dimanche, et partait porter la triste nouvelle à la maison du soldat mort. Et, pendant qu'il était parti, les élèves se demandaient les uns aux autres : « C'est chez qui ? » Chacun craignait que ce soit chez lui que se rende l'instituteur.

Mais il y avait aussi des soucis matériels. Comme on envoyait beaucoup de choses au front (nourriture, habillement, matériel), il y en avait moins pour les civils. À la campagne, ce n'était pas trop grave, car le ravitaillement ne manquait pas. Mais, à la ville, c'était plus dur. On dut rationner le sucre, puis le pain. À cette époque, les gens mangeaient beaucoup de pain. C'était un peu la nourriture de base. Rationner le pain, c'est donner chaque jour une quantité précise de pain à chacun, 200 grammes par exemple pour un enfant.

Les gens avaient des cartes, sur lesquelles était indiquée la quantité de pain à laquelle ils avaient droit. Pour acheter du pain, il fallait montrer la carte au boulanger qui annulait la ration du jour.

Il n'y a pas que le rationnement. Il y a aussi la hausse des prix. En France, les choses coûtent en moyenne deux fois plus à la fin de la guerre qu'au début. Ce qui veut dire qu'avec la même somme d'argent, on peut en acheter deux fois moins. Mais les gens ne pouvaient pas se contenter pour vivre de la moitié de ce qu'ils avaient avant guerre. Ils étaient donc mécontents. Dans les usines, des grèves éclatent. Les ouvriers, les ouvrières réclament des augmentations de salaires. Partout, les gouvernements ont été obligés de s'occuper des salaires. En France, même si les salaires n'ont pas augmenté autant que les prix, le gouvernement a réussi à faire que les gens puissent acheter tout ce dont ils avaient vraiment besoin.

– *Et en Allemagne ?*

– Ce n'était pas pareil en Allemagne, à cause du blocus allié qui privait les Allemands de beaucoup de choses. Les prix ont été multipliés par quatre. Les généraux, qui contrô-

Ce numéro contient en supplément : 1° La dixième fascicule d'un roman par Art Roë, MONSIEUR PIERRE ;
2° LE TABLEAU D'HONNEUR DE LA GUERRE (planches 349 à 362).

L'ILLUSTRATION

Prix du Numéro : Un Franc. SAMEDI 3 FÉVRIER 1917 75e Année. — N° 3857.

BONHEUR COMPLET !

Dessin de J. SIMONT.

Photo 5 : « Bonheur complet », son mari est en permission, et elle a une ration de charbon (février 1917).

laient tout le ravitaillement, avaient imposé des prix ridiculement bas. Les paysans n'avaient aucun intérêt à vendre leurs produits à ces prix très faibles, sur le marché contrôlé, alors que s'ils les gardaient, ils pouvaient les vendre clandestinement à des prix beaucoup plus élevés. Les gens riches étaient prêts à payer ces prix forts : c'est ce qu'on appelle le marché noir. À la fin de la guerre, je te l'ai dit, les magasins des villes allemandes sont vides ; des femmes manifestent dans les rues ; des bandes parcourent les campagnes pour forcer les paysans à leur vendre du beurre, des œufs, de la viande, etc.

– *Ce que tu racontes, c'est un grand désordre.*

– Le mécontentement, les souffrances de la guerre, le désir de ne plus jamais revoir cela provoquent partout des grèves, en 1917 et en 1918. Les ouvriers arrêtent de travailler et manifestent dans les rues.

Le pays le plus gravement secoué par ces mouvements populaires est la Russie. Des pays en guerre, la Russie était le moins développé. Le gouvernement était incapable. Dans les usines comme à l'armée, les chefs étaient autoritaires, brutaux, méprisants. Les soldats étaient mal équipés, mal armés et mal commandés. Le mécontentement était donc très grand, et il conduit à de grandes manifestations d'ouvriers et de soldats dans la capitale, en février 1917. Le tsar est renversé, et un nouveau gouvernement prend le pouvoir. C'est ce qu'on appelle une révolution, un changement de gouvernement et de régime politique par la violence. Le nouveau gouvernement essaye de continuer la guerre, mais il est à son tour renversé en novembre par des comités d'ouvriers et de soldats. Les communistes dirigés par Lénine prennent le pouvoir. Lénine était contre la guerre et il voulait faire la paix à tout prix avec l'Allemagne pour pouvoir gouverner la Russie comme il le voulait. La paix fut signée au début de 1918.

– *Alors les Russes ne se battent plus contre les Allemands ?*

– Non. C'était un coup très dur pour les Alliés, Britanniques, Français, Italiens et Américains. Comme les Allemands n'étaient plus obligés de combattre sur deux fronts, ils pouvaient attaquer en France avec toutes leurs forces.

La révolution russe cause un autre souci aux gouvernements en guerre. Lénine entreprend de grandes réformes. Il donne notamment aux paysans les terres qui appartenaient aux grands propriétaires nobles. C'est un exemple extraordinaire pour tous ceux qui ont envie de changer complètement les choses dans leur pays, de faire, eux aussi, une révolution sociale, et pas seulement politique. En France et en Grande-Bretagne, les troubles ne sont pas trop graves. Mais en Allemagne, à la fin de la guerre, les choses vont très mal. Dans l'été de 1918, beaucoup de soldats ne reviennent pas de permission ou se laissent faire prisonniers. Les grèves tournent à l'émeute. Les grévistes sont rejoints par des marins : leurs amiraux veulent sortir en mer pour affronter la flotte britannique et ne pas capituler sans avoir combattu ; les marins refusent catégoriquement ce sacrifice inutile et ils se mutinent. Le gouvernement démissionne. L'empereur Guillaume renonce à son trône. C'est une révolution qui commence. Finalement, elle échouera dans le sang, le nouveau gouvernement utilisant les troupes d'assaut pour rétablir l'ordre.

Chapitre 9

LA GUERRE EN 1918

– *Je sais que les Allemands ont perdu la guerre. Ce que tu racontes, les soldats qui se laissent faire prisonniers, les marins qui se mutinent, les ouvriers en grève, tout cela s'explique parce qu'ils savent que la guerre va bientôt finir, et qu'ils l'ont perdue. Non ?*

– Tu as raison. Mais ta question en pose une autre : comment se fait-il que la guerre, qui semblait impossible à finir, s'est terminée ? que la percée qui échouait toujours a pu, en 1918, réussir ?

– *Tu vas me le dire…*

– Il y a deux grandes raisons. D'abord, la guerre n'était plus la même en 1918 qu'en 1914. Des deux côtés, on avait beaucoup augmenté le nombre des canons, et surtout des gros canons. On avait imaginé de tuer les soldats ennemis en envoyant sur leurs tranchées des gaz empoisonnés. Ils se protégeaient en portant des masques à gaz. Les Français et les Britanniques avaient aussi inventé les tanks. Tu sais ce que c'est, un tank : une sorte de petite forteresse protégée de tous les côtés par des tôles épaisses, qui avance sur des chenilles pour pouvoir franchir les trous d'obus ou les tranchées, et qui tire sur l'ennemi avec une mitrailleuse ou un canon. Les premiers ont servi sur la Somme puis au Chemin des Dames, mais ils n'étaient pas encore au point. Les Allemands ne croyaient pas à l'efficacité des tanks et ils n'en avaient pas. En 1918, les tanks ont beaucoup aidé les troupes alliées. Les avions ont été aussi beaucoup utilisés, pour voir ce que l'ennemi faisait, pour indiquer à l'artillerie ses objectifs et vérifier qu'elle les atteignait. Et ils ont servi pour bombarder les villes, mais ils n'étaient pas encore assez puissants pour emporter de grosses bombes.

Ni les gaz, ni les tanks, ni les avions ne changeaient vraiment la guerre. Les tranchées se faisaient toujours face. Mais il y a eu un second changement important, dans la façon de faire la guerre. Au printemps de 1918, les

Allemands n'avaient plus à se battre contre les Russes, et les premières troupes américaines commençaient seulement à arriver en France. Si les Allemands voulaient gagner la guerre, il fallait absolument qu'ils profitent de cette occasion : quelques mois plus tard, les armées alliées seraient beaucoup plus fortes que l'armée allemande. Le commandant en chef allemand, le général Ludendorff, a imaginé d'attaquer sans longue préparation d'artillerie. Jusque-là, des deux côtés, avant d'attaquer on pilonnait les tranchées adverses à coups de canon pendant plusieurs jours. Comme Ludendorff ne faisait bombarder qu'au dernier moment, et brièvement, les tranchées qu'il voulait prendre, les défenseurs étaient surpris, et ils n'avaient pas eu le temps de se préparer, de faire venir des réserves à l'arrière du secteur menacé, d'organiser une riposte d'artillerie lourde. Avec cette tactique, Ludendorff a réussi trois fois de suite à percer le front franco-britannique.

– *Alors il a failli gagner la guerre ?*

– Non, il ne le pouvait plus. Il n'avait plus assez de troupes fraîches pour les lancer dans la brèche qu'il avait ouverte dans le front allié. De leur côté, les Alliés ont réussi à amener suffisamment de régiments assez vite pour arrêter les Allemands. Mais ceux-ci étaient tout près de Paris, et la situation était aussi grave qu'en 1914, au moment de la bataille de la Marne.

Le gouvernement français était dirigé par Clemenceau, un vieil homme très populaire. Il avait beaucoup d'autorité et était bien décidé à faire la guerre jusqu'au bout. Il avait redonné confiance aux Français. Comme les Allemands avaient percé à la jonction des fronts britannique et français, en profitant de ce qu'ils étaient mal coordonnés, Clemenceau a fait accepter aux Britanniques qu'il y ait un seul et même commandant en chef pour les deux armées. Ce fut Foch.

En juillet 1918, les Allemands ont lancé ce qu'ils pensaient être l'attaque décisive. Mais les Français ont fait preuve d'imagination à leur tour. Au lieu de défendre leur première ligne coûte que coûte, ce qui avait été la consigne jusque-là, ils ont laissé en première ligne seulement quelques soldats, chargés de prévenir quand l'attaque aurait lieu, et ils ont attendu les Allemands sur la deuxième et la troisième ligne. Les Allemands ne s'attendaient pas à cette résistance. Ils ont été surpris et bousculés.

Les Français ont repris le terrain qu'ils avaient volontairement abandonné et ils ont avancé dans les lignes allemandes désorganisées par la bataille. Dans les semaines suivantes, les Français, aidés par les Américains qui étaient maintenant arrivés en force, ont continué d'attaquer. Ils étaient plus nombreux. Ils sentaient qu'ils allaient gagner. Les Allemands étaient découragés. Beaucoup se laissaient faire prisonniers. Ils reculaient, en détruisant tout ce qu'ils pouvaient.

En Allemagne, c'était la révolution. L'empereur Guillaume s'en allait. Les généraux demandèrent l'armistice, c'est-à-dire l'arrêt des combats. Foch le leur accorda, pour ne pas faire tuer un soldat de plus. Le 11 novembre 1918, à 11 heures du matin, sur tout le front, un grand silence s'est fait : les canons, les mitrailleuses, les fusils ne tiraient plus. Les soldats qui étaient là n'osaient pas y croire : la guerre était finie, et ils en sortaient vivants. À l'arrière du front, dans toutes les villes de France, les cloches ont sonné pour annoncer la nouvelle, les gens sont descendus dans les rues. Ils ont chanté. Certains pleuraient leurs morts. D'autres pleuraient de joie : la guerre était finie et on l'avait gagnée.

Chapitre 10

LA PAIX

– *J'ai compris pourquoi le 11 novembre est un jour sans école : c'est la fête de la paix.*

– Tu te trompes. L'armistice, ce n'est pas la paix, c'est la fin des combats. La paix est un accord définitif, qui dit ce que perd le vaincu et ce que gagne le vainqueur. L'armistice est un accord provisoire : on ne se bat plus parce qu'on a décidé de faire la paix, mais si on ne s'entend pas sur les conditions de la paix, on peut rompre l'armistice et reprendre la guerre. Les Alliés n'ont donc pas renvoyé tous leurs soldats chez eux ; ils en ont gardé assez pour pouvoir obliger par la force les Allemands à accepter leurs conditions de paix. Mais les Alliés n'ont pas envahi l'Allemagne. Les régiments allemands ont évacué la partie de la France où ils étaient encore. Ils sont rentrés dans les villes allemandes comme s'ils n'avaient pas été battus, défilant sous les acclamations de la population. Les Allemands ne reconnaissaient pas vraiment qu'ils avaient été vaincus ; ils pensaient qu'ils avaient été trahis. Pour les Allemands, la guerre ne se termine pas par une défaite sur le champ de bataille mais par ce qu'ils appellent très vite un « coup de poignard dans le dos ». Ils pensent que des traîtres – les hommes politiques socialistes qui ont pris le pouvoir après le départ de l'Empereur – ont lâchement demandé l'armistice, alors que la guerre pouvait encore être gagnée. C'est évidemment faux. Le « coup de poignard dans le dos » est une légende : l'Allemagne a demandé l'armistice parce qu'elle était à bout de souffle. Mais cette légende constitue un fait capital. Le refus des Allemands d'admettre leur défaite pèse très lourd dans la suite de l'histoire.

– *Et la paix alors, c'est quand ?*

– Tu es pressé. Il va falloir plusieurs mois pour que les Alliés se mettent d'accord sur le traité de paix. La paix, c'était beaucoup plus qu'un accord avec l'Allemagne pour terminer la guerre : ce devait être le début d'une époque entièrement nouvelle.

Le président des États-Unis, Wilson, avait fait, au début de 1918, des propositions pour changer vraiment les rapports entre les pays. Il ne fallait surtout pas recommencer les erreurs du passé. Après sa victoire en 1871, l'Allemagne avait pris à la France l'Alsace-Lorraine (elle l'avait « annexée ») et elle s'était fait payer une énorme somme d'argent. Wilson voulait une paix sans annexions. Aucune frontière ne devait être modifiée sans le consentement des populations concernées ; c'est ce qu'on appelle le droit des peuples à disposer d'eux-mêmes. La guerre avait éclaté parce que les États étaient liés par des accords secrets : il fallait en finir avec les accords secrets. Wilson voulait des discussions au grand jour entre États. Pour cela, il voulait créer une Société des Nations, une organisation à laquelle tous les pays participeraient et qui assurerait la paix en trouvant une solution chaque fois que deux pays ne s'entendraient pas. Ces propositions étaient très populaires.

Clemenceau a accepté de créer la Société des Nations. Tout le monde était d'accord pour redonner l'Alsace-Lorraine à la France. Mais Clemenceau voulait davantage. Pour protéger la France contre une nouvelle attaque allemande, il demandait qu'on lui donne des territoires allemands ou qu'on crée un nouvel État indépendant entre elle et l'Allemagne. Pour Wilson, il n'en était pas question. C'était contraire au droit des peuples à disposer d'eux-mêmes.

– *Et alors, qui a gagné ? Wilson ou Clemenceau ?*

– Il n'y a jamais de vrai gagnant dans des discussions comme celles-ci. La France a retrouvé l'Alsace-Lorraine. Elle n'a pas annexé de territoire allemand mais elle a occupé la partie de l'Allemagne à l'ouest du Rhin pendant dix ans. Cette zone a été interdite à l'armée allemande, qui a été réduite à 100 000 hommes, sans armes lourdes. Les traités de paix ont aussi créé de nouveaux États sur les ruines de l'Empire autrichien, et ils ont modifié les frontières dans les Balkans. La Pologne, qui, avant guerre, était partagée entre l'Autriche et la Russie, est devenue un État indépendant. L'Autriche proprement dite a formé un petit pays. L'Empire ottoman a été démantelé et il n'en est plus resté que la Turquie.

Une autre question a été très discutée : ce qu'il fallait faire payer aux Allemands, les « réparations ».

– *Qu'est-ce que c'est, les réparations ?*

– La France voulait que l'Allemagne répare tout ce qu'elle avait cassé, qu'elle paye la reconstruction de tout ce qu'elle avait détruit : usines, maisons, routes, ponts, etc. La guerre s'était déroulée sur le territoire français, et elle avait ruiné des centaines de milliers de bâtiments, dévasté 2,5 millions d'hectares de terres agricoles (un hectare, c'est un carré de 100 mètres de côté), détruit plus de 60 000 kilomètres de routes et 5 000 kilomètres de voies de chemin de fer. De plus, les Allemands avaient systématiquement détruit, dans leur retraite, tout ce qu'ils avaient pu : ils avaient laissé l'eau remplir les mines de charbon, coupé les arbres des vergers, etc. La France comme la Belgique voulaient que l'Allemagne, qui n'avait pratiquement pas souffert de la guerre, paye pour tout reconstruire.

Mais il y a autre chose. La guerre avait coûté très cher : les États avaient dû payer la fabrication de centaines de millions d'obus, de milliers de canons, et de tout ce qu'il avait fallu. Pour cela, ils avaient emprunté. La France et la Grande-Bretagne devaient de grosses sommes aux États-Unis ; elles voulaient que l'Allemagne leur donne assez d'argent pour

L'Europe après 1920
IRLANDE
GRANDE-BRETAGNE
PAYS-BAS
BELGIQUE
FRANCE
PORTUGAL
ESPAGNE

FINLANDE
VÈGE
ESTONIE
SUÈDE
LETTONIE
ARK
LITUANIE
URSS
ALLEMAGNE
POLOGNE
TCHÉCOSLOVAQUIE
AUTRICHE
HONGRIE
ROUMANIE
YOUGOSLAVIE
ITALIE
BULGARIE
GRÈCE
TURQUIE

les rembourser. Ce qui alourdissait évidemment l'addition.

Les Alliés n'étaient pas d'accord sur le montant des réparations et sur la façon de se les partager. Ils décidèrent de faire les calculs plus tard et ils ont seulement mis dans le traité que l'Allemagne était responsable, pour les avoir causés, de tous ces dommages. C'est le fameux article 231 du traité de paix, qui est signé à Versailles le 28 juin 1919. Les Allemands ne voulaient pas signer, car ils jugeaient cette affirmation injuste et scandaleuse. Ils estimaient qu'ils n'avaient fait que se défendre et qu'ils n'étaient pas plus coupables que les autres. Ils ont signé parce qu'ils y étaient obligés et qu'ils ne pouvaient pas faire autrement. Mais ils n'ont jamais accepté cette condamnation morale.

– *Alors le traité ne servait à rien.*

– Si. Avec d'autres traités signés la même année, il a défini une nouvelle Europe, avec de nouveaux États, dont il a dessiné les frontières. Il a fixé une règle du jeu pour les réparations. Il a créé la Société des Nations, qui s'est installée à Genève. Mais les pays qui ont imposé le traité de paix se sont divisés ensuite. Wilson a été battu aux élections et les États-Unis n'ont finalement pas signé le traité, alors qu'ils l'avaient directement inspiré. Ils n'ont pas fait partie de la Société des Nations, et la Russie et l'Allemagne non plus. Cela lui a retiré beaucoup d'autorité. Ensuite, la Grande-Bretagne et les États-Unis ont trouvé la France trop dure pour l'Allemagne et ils lui ont imposé de se contenter de réparations moins importantes que prévu. Plus tard, ils n'ont rien fait pour empêcher Hitler de réarmer l'Allemagne. La France voulait alors surtout ne pas recommencer de guerre. L'Allemagne, fanatisée, voulait avant tout effacer l'humiliation du traité de Versailles.

Chapitre 11

À QUOI LA GUERRE A-T-ELLE SERVI ?

– *Ce que tu racontes est un peu compliqué. Tu ne pourrais pas être plus simple et me dire si la France est plus forte après la guerre qu'avant ?*

– C'est une bonne question, mais je ne peux pas te répondre par oui ou par non. À première vue, la France est plus forte : elle a retrouvé l'Alsace-Lorraine, où ses armées sont entrées sous les acclamations. Elle occupe la rive gauche du Rhin. Tous les pays pensent que son armée est la meilleure, la plus forte du monde. Elle a gagné la guerre. Le régime politique que la France a adopté en 1875, la république, en est renforcé : avant 1914, une forte opposition estimait ce régime trop faible pour gagner une guerre. La victoire le consolide. Les Français sont moins divisés.

Mais, en même temps, la France est affaiblie. Je t'ai dit le bilan matériel de la guerre, les destructions. Des pans entiers de l'économie sont à reconstruire. Les Français avaient prêté des milliards de francs-or à la Russie du tsar, à l'Autriche, à l'Empire ottoman ; ils sont perdus. Le poids des dettes à rembourser est énorme. Il s'y ajoute les indemnités à verser aux sinistrés (ceux dont les maisons ou les terres ont été dévastés) et les pensions à payer régulièrement pour leur permettre de vivre aux victimes de la guerre qui ne peuvent plus travailler à cause de leurs blessures : amputés, aveugles et invalides de tous genres. Tout cela pèse sur les finances de l'État et provoque une hausse des prix qui bouleverse les équilibres. C'est alors qu'on se met à appeler « Belle Époque » la période de 1900 à 1914, où les prix étaient stables depuis très longtemps.

Mais le bilan humain de la guerre est plus lourd encore : 1 400 000 morts, tous des hommes jeunes, dans la force de l'âge, alors que le pays vieillit ; près de 4 millions de blessés, 600 000 veuves, 760 000 orphelins. Et cela, rien que pour la France…

– *Tes grands-pères ont été tués ?*

– Non, ils ont eu de la chance. Comme ils

avaient déjà autour de quarante-cinq ans, ils n'ont pas été trop exposés. Ce sont les plus jeunes qu'on envoyait en première ligne et qui ont le plus souffert. Le père de ta grand-mère, qui a eu vingt ans sur le champ de bataille de Verdun, a gardé toute sa vie un éclat d'obus dans le mollet. Mes deux grands-pères ont perdu chacun un frère plus jeune à la guerre. Une de mes grands-mères aussi. Près d'un soldat sur cinq est mort à la guerre. Toutes les familles ont été touchées par cette tragédie.

C'est pourquoi les Français ne veulent pas qu'elle se renouvelle. Les anciens combattants, qui ont autorité pour parler de la guerre, parce qu'ils l'ont vraiment faite, veulent la paix ; organisés dans de puissantes associations, ils disent qu'il faut tout faire pour éviter une nouvelle guerre. La Grande Guerre doit être la dernière. Cette pression de l'opinion publique en faveur de la paix, ce « pacifisme », va peser très lourd par la suite. Il va empêcher la France de se préparer vraiment à résister aux Allemands qui, eux, au contraire, en violation du traité de paix, vont se réarmer pour prendre leur revanche et provoquer une nouvelle guerre en 1939.

Tu le vois, la France victorieuse de 1920 semble plus forte que celle de 1914, mais elle est sans doute plus faible, matériellement et moralement. En fait, la Grande Guerre a été un épisode dramatique, sanglant, terrible, mais elle n'a rien réglé définitivement. L'histoire continue, et elle sera ce que les Français et leurs gouvernements en feront.

Elle sera surtout ce que feront tous les autres États, anciens alliés ou anciens ennemis. Désormais, tous les États du monde sont concernés par la paix et la guerre. La guerre de 1870 avait été purement franco-allemande ; celle de 1914-1918 a été mondiale, mais elle s'est déroulée essentiellement en Europe. La suivante, celle de 1939-1945, sera plus terrible encore parce qu'elle s'étendra à tous les continents : l'Afrique, l'Océanie, l'Asie aussi bien que l'Europe. Les États-Unis d'Amérique y jouent le rôle décisif. Là est le vrai changement : l'Europe n'est plus le centre du monde.

Grande-Rivière, août 2004

TABLE

CRÉDITS PHOTOGRAPHIQUES

L'Illustration : pages 33, 43, 63.
Imperial War Museum, Londres : 52-53.
Keystone : 36.

Du même auteur

AUX MÊMES ÉDITIONS

Éloge des pédagogues
1985
et « Points Actuels » n° 93, 1990

Le Parti communiste français
des années sombres (1938-1941)
(codirection avec Jean-Pierre Azéma et Jean-Pierre Rioux)
« L'Univers historique », 1986

Histoire de la vie privée
(série dirigée par Philippe Ariès et Georges Duby)
t.V. De la Première Guerre mondiale à nos jours
(codirection avec Gérard Vincent)
1987
et « Points Histoire » nos 260 à 264, 1999

Éducation, société et politiques
Une histoire de l'enseignement en France
de 1945 à nos jours
« XXe siècle », 1992, 1997
et « Points Histoire » n° 242, 1997

Douze leçons sur l'histoire
« Points Histoire » n° 225, 1996, 2010

Penser la Grande Guerre
Un essai d'historiographie
(avec Jay Winter)
« Points Histoire » n° 336, 2004

Autour du Front populaire
Aspects du mouvement social au XXe siècle
2006

La Grande Guerre expliquée en images
Seuil, 2013

Du changement dans l'école
Les réformes de l'éducation de 1936 à nos jours
Seuil, 2013

CHEZ D'AUTRES ÉDITEURS

Histoire du peuple français
t.V. Cent ans d'esprit républicain
(en collaboration)
Nouvelle Librairie de France, 1960

La CGT à l'époque du Front populaire (1934-1939)
Essai de description numérique
Presses de la FNSP, 1964

Les Conseillers généraux en 1870
(en collaboration)
Publications de la faculté des lettres de Paris, 1967

Histoire de l'enseignement en France (1800-1967)
Armand Colin, « U », 1968
6e éd., 1986

Vocabulaire des proclamations
électorales de 1881, 1885 et 1889
PUF, 1974

Langage et idéologie
Le discours comme objet de l'histoire
(en collaboration)
Éditions ouvrières, 1974

Les Anciens Combattants
Gallimard/Julliard, « Archives », 1977

Les Anciens Combattants
et la Société française (1914-1939)
1. Histoire 2. Sociologie 3. Mentalités et idéologies
Presses de la FNSP, 1977

L'enseignement s'est-il démocratisé ?
Les élèves des lycées et collèges
de l'agglomération d'Orléans de 1945 à 1980
PUF, 1986, 1992

Petite histoire de la France
de la Belle Époque à nos jours
Armand Colin, « U », 1986
7e éd., 2013

Les Communistes français
De Munich à Châteaubriant (1938-1941)
(codirection avec Jean-Pierre Azéma et Jean-Pierre Rioux)
Presses de la FNSP, 1987

La Résistance, une histoire sociale
(direction)
Éditions de l'Atelier, 1997

Aryanisation économique et restitutions
(avec Rémi et Sonia Étienne)
La Documentation française, 2000

Jean Zay et la gauche du radicalisme
(direction)
Presses de la FNSP, 2003

Guerres, paix et sociétés
1911-1946
(direction)
Éditions de l'Atelier, 2003

Dessins d'exode
(avec Yves Gaulupeau)
Tallandier, 2003

Histoire générale de l'enseignement
et de l'éducation en France
t. IV. L'école et la famille
dans une société en mutation, depuis 1930
Perrin, « Tempus », 2004

Carnets d'Algérie
Tallandier, 2005

Regards historiques sur l'éducation en France
XIXe-XXe siècle
Belin, 2007

Écrits du front
Lettres de Maurice Pensuet à ses parents
(édition)
Mille et Une Nuits, 2009
Tallandier, 2010

René Cassin et les droits de l'homme
Le projet d'une génération
(avec Jay Muray Winter)
Fayard, 2011

Réformer l'école
L'apport de l'éducation nouvelle
(avec Laurent Besse et Laurent Gutierrez)
PUG, 2012

Si nous vivions en 1913
Grasset/France Inter, 2014

Les Politiques de l'éducation en France
(avec Lydie Heurdier)
La Documentation française, 2014

RÉALISATION : PAO ÉDITIONS DU SEUIL
IMPRESSION : NORMANDIE ROTO S.A.S. À LONRAI
DÉPÔT LÉGAL : OCTOBRE 2005. N° 81242-10 (1404820)
IMPRIMÉ EN FRANCE